Davi

Um dia, Deus disse a Samuel:

— Encha o vaso de azeite e vá até a casa de Jessé que mora em Belém. Escolhi um de seus filhos para ser rei. Derrame o azeite sobre quem Eu mostrar.

Entrou Samuel na casa de Jessé e pediu para ver os filhos dele. Quando viu Eliabe, alto, forte e valoroso, pensou:

"Com certeza deve ser este". Mas Deus disse a Samuel:

— Não olhe para a aparência e nem para a altura, porque não é este. As pessoas olham a aparência, mas Eu, o Senhor Deus, vejo o coração.

Jessé mostrou um por um a Samuel, sete de seus filhos, mas Samuel disse:

— Deus não escolheu nenhum desses, você não tem outro filho?

— Tenho ainda o caçula — respondeu Jessé.

— Ele está cuidando das ovelhas.

— Mande buscá-lo — disse Samuel.

Jessé mandou buscar Davi. Ele era um garoto bonito e muito educado. Deus disse:

— Samuel, Davi é o meu escolhido.

Então Samuel derramou sobre Davi o azeite. E, desde aquele dia, o Espírito Santo de Deus passou a estar junto de Davi. Nessa época, os israelitas estavam em guerra com os filisteus. Então, os três filhos mais velhos de Jessé foram para a guerra defender Israel sob comando do rei Saul.

Jessé mandou Davi levar alimento para seus irmãos. Davi levantou-se bem cedo, deixou seu rebanho com outro pastor e seguiu carregado de mantimentos para o acampamento onde eles estavam. Deixou sua carga na mão do guarda que cuidava da alimentação e correu para ver seus irmãos.

Estava Davi falando com eles, quando, do meio dos filisteus, surgiu Golias, um gigante de quase 3 metros de altura desafiando a todos do exército de Israel:

— Mandem um de seus guerreiros para lutar comigo, quem vencer conquistará a vitória para seu exército — Os israelitas ficaram com medo.

Davi ouviu o desafio e perguntou aos seus irmãos:

— Quem esse filisteu pensa que é para desafiar o exército de Deus? Não precisamos temê-lo!

Um de seus irmãos respondeu zangado:

— Davi, você não entende de nada, volte para suas ovelhas, nós soldados cuidaremos do exército filisteu e desse gigante.

O rei Saul ficou sabendo das palavras de Davi e mandou chamá-lo.

Davi disse a Saul:

— Não tema, meu rei — disse Davi. — Eu vou lutar contra esse gigante filisteu.

Saul respondeu:

— Você é ainda um garoto! Ele é um guerreiro muito forte!

— Senhor, já matei um urso e um leão que atacavam o rebanho de meu pai. Lutarei contra este infiel como se fosse um deles. Deus vai me livrar das mãos dele e me dará a vitória — respondeu Davi.

Saul nesta ocasião vestiu a Davi com uma armadura de guerra: capacete, couraça e espada. Mas era muito grande e pesada demais. Davi nem conseguia andar. O garoto tirou o traje.

Naquele momento foi Davi até o riacho, escolheu cinco pedras lisas e com sua funda e o seu cajado de pastor na mão foi ao encontro do gigante.

Quando Golias avistou Davi e percebeu que ele era ainda tão jovem, falou com desprezo:

— Será que sou um cão para você me atacar com um pedaço de pau e pedras?

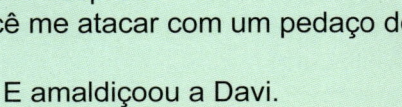

E amaldiçoou a Davi.

Davi respondeu:

— Você vem contra mim com espada e escudo, porém eu vou contra você em nome do Senhor Todo-Poderoso, Deus de Israel, a quem você afrontou. Ele me dará a vitória e toda a terra saberá que há Deus em Israel, que não precisa de espada e lança para dar salvação.

Davi correu na direção de Golias, tirou do alforje uma pedra, ajeitou-a na funda. Girou com força e soltou a pedra, que cravou-se bem no meio da testa de Golias, derrubando-o. Quando os filisteus viram seu herói morto, fugiram apavorados.

Os israelitas perseguiram o inimigo. A batalha terminou com a vitória de Israel. Davi serviu a Saul, até que Deus cumpriu o que disse e fez de Davi um rei. Um rei que acreditou em Deus e o amou de todo o seu coração.

Salomão

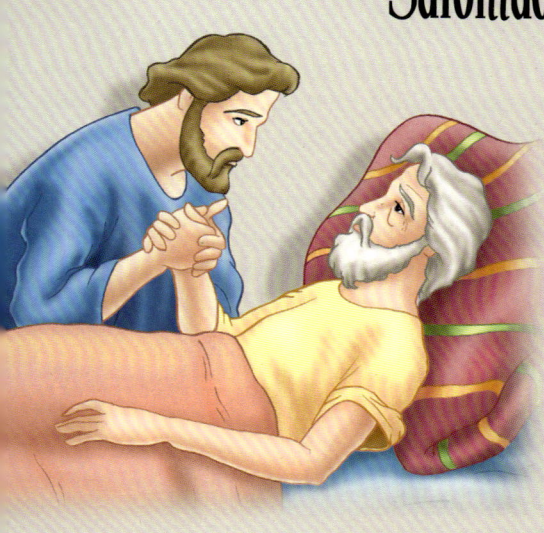

O rei Davi estava muito velho. Vendo ele que seus dias chegavam ao fim, chamou seu filho, Salomão, e disse:

— Você reinará em meu lugar, guarde os Mandamentos de Deus e governe segundo a Lei do Senhor, assim será abençoado e próspero.

Depois de aconselhar seu filho, Davi morreu.

Salomão foi proclamado rei. Ele se casou com a filha do faraó do Egito. Salomão amava a Deus e resolveu que iria construir um templo onde o povo poderia buscar o Senhor.

Um dia, Salomão estava dormindo quando Deus apareceu-lhe em sonhos e disse:

— Peça o que quiser que Eu lhe darei. — Salomão, então, pediu:

— Senhor, dê-me um coração sábio para julgar o povo, prudente para separar o bem do mal e reinar com justiça.

Deus ficou feliz com o pedido de Salomão e disse:

— Porque você não me pediu riquezas e nem vida longa, mas preferiu pedir sabedoria, eu lhe darei tudo: riquezas, vida longa e um coração sábio como nenhum outro já teve.

Salomão, então, acordou e entendeu que era um sonho de Deus. Foi à Jerusalém e agradeceu ao Senhor diante da Arca da Aliança. Passou-se algum tempo e a sabedoria de Salomão foi provada. Duas mulheres se apresentaram perante o rei.

Uma das mulheres disse: — Meu rei, eu e esta mulher moramos na mesma casa; eu dei à luz um filho e dias depois ela também. À noite, seu bebê morreu, porque ela deitou-se sobre ele.

Então, ela se levantou e, aproveitando-se do fato de eu estar dormindo, trocou os bebês. Quando acordei, vi o bebê morto ao meu lado, mas logo reconheci que não era o meu.

A outra mulher disse:

— Não! O filho é meu! — E, assim, a duas discutiam diante do rei.

Salomão ordenou que trouxessem o bebê e o colocassem no degrau do trono, diante das mulheres. Logo depois disse:

— Tragam uma espada! Vamos cortar o menino ao meio e dar uma parte para cada uma.

A primeira mulher sentiu uma dor no coração pelo bebê e falou: — Não faça tal coisa, meu rei, dê o bebê a ela, mas não mate a criança.

A outra dizia: — Melhor assim, nem para mim nem para você!

Então, o rei respondeu:

— De maneira alguma façam mal à criança, mas entreguem-na para a primeira mulher, ela é a mãe verdadeira. — E todo o povo de Israel admirou a sabedoria do rei Salomão. No ano de seu reinado, Salomão começou a construir o templo de Deus. Uma construção magnifica! O interior do templo foi feito com a madeira de cedro, com detalhes de flores e romãs, tudo recoberto de ouro puro. O altar também era adornado com ouro. Nas paredes, havia anjos, palmeiras e flores, obras esculpidas com beleza e riqueza de detalhes, tudo recoberto do mais puro ouro. As portas foram entalhadas com querubins. Salomão levou sete anos para concluir o templo. Quando ficou pronto, Salomão reuniu o povo e disse:

— Durante muito tempo, a Arca do Senhor habitou em tendas, mas hoje ela tem um lugar de repouso e o nosso Deus tem agora um templo onde seu povo poderá comparecer para adorá-lo. Salomão colocou-se diante do altar do Senhor, ergueu suas mãos para os céus e orou:

— Ó Senhor, Deus de Israel, ouça a nossa súplica, que seus olhos estejam atentos, seus ouvidos abertos para as orações que seus filhos fizerem neste lugar. Esteja entre nós e venha nos abençoar com sua majestosa presença.

Quando Salomão terminou sua oração, desceu fogo do céu e consumiu a oferta do altar e a Glória do Senhor encheu o templo de tal maneira que os sacerdotes não podiam entrar. O povo, vendo tais maravilhas, curvou-se com o rosto em terra e adorou e louvou a Deus.

À noite, o Senhor voltou a aparecer para Salomão e disse:

— Se o meu povo que se chama pelo meu nome se humilhar e orar e buscar a minha presença, eu ouvirei e abençoarei. Ouvi a sua oração e escolhi e santifiquei esse templo para ser a minha morada.

A fama de Salomão correu por todos os lugares. A rainha de Sabá veio a Jerusalém para testar com enigmas o rei Salomão e confirmar se era verdadeira a sua sabedoria.

A rainha admirou-se, Salomão explicou-lhe todos os enigmas e falou-lhe sobre várias ciências. Salomão foi autor de Provérbios, Salmos e Poesias. Seu reinado foi cheio de glórias e riquezas e o templo que ele construiu para Deus foi para Israel um marco até os dias de hoje.